EL CARNAVAL DE LOS ANIMALES

Camille Saint-Saëns

Música interpretada por
Academy of London

Texto de
José Antonio Abad Varela

Ilustraciones de
João Vaz de Carvalho

kalandraka

Aquel era un día muy especial.
Bajo un sol espléndido y un aire suave,
se ultimaban los detalles para la celebración
del cumpleaños del León, el rey de los animales.

Muy de madrugada, una enorme bandada de pájaros
había llevado hasta los últimos rincones el saluda del León,
en el que invitaba a todos los animales a una gran fiesta
para celebrar su cumpleaños.

INTRODUCCIÓN

1. [00'00'' - 00'30'']

Los primeros en llegar fueron los grandes felinos:
leones, tigres, leopardos y panteras, formaban un espectacular desfile
y junto a otros muchos animales, grandes y pequeños,
se fueron situando en la gran explanada.

De repente, sonaron unas llamadas de advertencia
que acallaron el murmullo de las conversaciones.
Anunciaban la presencia del León que, moviendo la cabeza
de un lado a otro, saludaba a los asistentes con potentes rugidos.

MARCHA REAL DEL LEÓN

2. [00'00" - 01'25"]

Una vez que el León se hubo sentado en lugar preferente,
empezó a recibir las felicitaciones de todos.
Frente a él, uno a uno, se fueron presentando los invitados.

En primera fila estaban las alborotadoras gallinas
que cloqueaban sin parar, pero el gallo acalló el alboroto
dando un golpe en el suelo.

GALLINAS Y GALLOS

3. [00'00'' - 00'42'']

A continuación se presentaron los animales más veloces…

Los precedía el ruido de un tumultuoso galope.
Todas las miradas se volvieron inquietas hacia el fondo
y vieron acercarse a un tropel de mulos que corrían en desorden,
rebuznando y entorpeciéndose unos a otros.
Por fin, consiguieron llegar hasta las primeras filas,
saludaron y se acomodaron entre los otros invitados.

MULOS SALVAJES

4. [00'00" - 00'35"]

Después aparecieron los animales más lentos…

Sudorosas y cubiertas por el polvo del camino,
llegaron las enormes tortugas de tierra
arañando el suelo con sus largas uñas.
Se adentraron por el mullido pasillo con andar pausado y solemne,
estirando exageradamente sus cuellos y saludando
a cuantos encontraban a su paso. Hicieron una reverencia ante el rey
y se perdieron discretamente entre el bullicio de la multitud.

TORTUGAS

5. [00'00'' - 02'00'']

Entonces la tierra retumbó y aparecieron los grandes animales…

Se oyeron las pisadas de cuatro elefantes
que se acercaban con las trompas en alto
abanicando sus enormes orejas.
Los demás animales se apartaron temerosos y les abrieron paso.
Los paquidermos desfilaron contoneándose al unísono
como si bailaran un vals.
Llegados ante el León, saludaron y se colocaron a su lado.

EL ELEFANTE

6. [00'00" - 01'20"]

A continuación se hizo el silencio y aparecieron los animales saltarines…

Eran los canguros que venían dando elásticos saltos.

Entre salto y salto se quedaban parados,

mirando curiosos a uno y otro lado,

y así continuaron hasta llegar ante el León.

De la bolsa de uno de ellos asomaba la cabecita de una cría

que miraba asombrada.

Después de los saludos se colocaron

entre los mulos y los avestruces.

CANGUROS

7. [00'00" - 00'43"]

Un aire fresco cruzó inesperadamente la pradera anunciando lluvia.

Ante el asombro de los presentes, enormes bolas de agua
comenzaron a caer del cielo y se deslizaron por el pasillo
hasta alcanzar los pies del León.
Chocaban entre sí, salpicando de gotitas el suelo.
Dentro de las bolas viajaban peces de todos los colores
que venían en representación del mundo de las aguas
a felicitar al rey. De repente, como por encanto,
todas las bolas se reunieron en un mismo lugar
y estallaron líquidas, formando un hermoso lago.

ACUARIO

8. [00'00'' - 02'22'']

En medio del enorme silencio y el asombro
provocado por lo que acababan de ver,
se oyó rebuznar con fuerza desde el fondo.
Unos pequeños pollinos hacían notar así su presencia.
Se habían situado detrás de todos, en las últimas filas
y desde lejos saludaban a los presentes y al León.

PERSONAJES DE LARGAS OREJAS

9. [00'00" – 00'38"]

La pradera era ya un inmenso hervidero de animales.

El cuco volaba majestuoso sobre la multitud
llamando a reunión a sus congéneres. Iba de aquí para allá,
en todas direcciones, emitiendo su canto.
Pero todavía faltaba por llegar el resto de los pájaros,
los que habían llevado el saluda del León,
muy ocupados desde la mañana.

EL CUCO
10. [00'00" - 02'05"]

Por fin regresaron aquellas aves
y con sus trinos alegraron el ambiente:
ruiseñores, mirlos, jilgueros, canarios…
revolotearon alrededor de la explanada
y finalmente se posaron
en los árboles cercanos.

AVIARIO

11. [00'00" - 01'22"]

De repente, algo extraño sucedió.

El León levantó la cabeza y miró hacia el fondo.
Se irguió cuan grande era. Todas las miradas
se volvieron, curiosas, para presenciar la entrada
de unos insólitos animales que avanzaban con paso elegante
arrastrando tras de sí extraños artilugios.
Eran los músicos de la fiesta.
Se acercaron hasta donde estaba el homenajeado,
saludaron dignamente e hicieron sonar los instrumentos que traían.

PIANISTAS

12. [00'00'' - 01'17'']

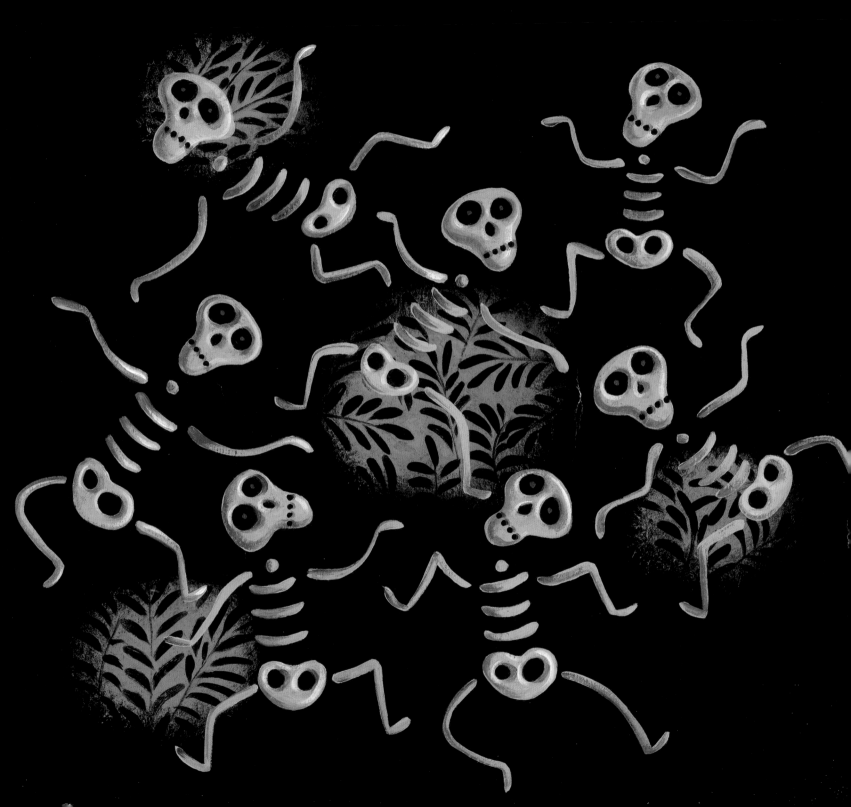

Y entonces, mientras se apagaban los ecos de aquellas melodías,
todo se oscureció.

De repente, como si fuese una alucinación colectiva,
los animales pudieron contemplar entre las tinieblas
una reunión de huesos y esqueletos fluorescentes:
parecían recién salidos de las entrañas de la tierra.
Los esqueletos ejecutaron una danza macabra
que dejó boquiabiertos a los espectadores.
Después, de la misma forma sorprendente,
la oscuridad dio paso a la luz
y los huesos y los fósiles desaparecieron.

FÓSILES

13. [00'00" - 01'15"]

En ese mismo momento apareció en el cielo
el último de los invitados, el Cisne Negro.
Volando desde lo alto fue trazando majestuosos
círculos descendentes y su aleteo dejó maravillados a los animales.
El cisne se sostuvo un instante sobre el lugar donde estaba el rey
y después se deslizó elegantemente sobre las aguas del hermoso lago.

EL CISNE
14. [00'00" - 03'04"]

Acabadas todas las presentaciones,
el León pidió que volviese a sonar la música
y en aquel mismo instante una gran fiesta comenzó.

FINAL

15. [00'00'' – 01'50'']

CAMILLE SAINT-SAËNS

Nació en París en el año 1835. A los once años ya destacó dando su primer concierto de piano en la Salle Pleyel. Fue organista titular de la iglesia de La Madeleine. Los músicos Berlioz y Liszt vieron enseguida en él a uno de los músicos más importantes de la época. Muy pronto creó una «escuela» de música francesa en la que participaron intérpretes como Gabriel Fauré y André Messager.

Camille Saint-Saëns abordó todos los géneros musicales, tanto profanos como religiosos. Numerosas obras de música de cámara, composiciones corales y música sinfónica componen el cuerpo de sus obras. La más emblemática de ellas es *Sansón y Dalila*, interpretada en todos los escenarios del mundo.

Saint-Saëns se interesó por la cultura de su tiempo. La pintura, la filosofía, la arqueología y muchas otras ciencias fueron objeto de su inagotable curiosidad.

El carnaval de los animales, *Gran fantasía zoológica*, es una humorística composición musical en la que Saint-Saëns, a modo de parodia, toma «prestados» fragmentos musicales de otros compositores y los coloca en un contexto distinto del original. La obra consta de catorce piezas breves, de las cuales, trece están dedicadas a diversos animales. El compositor escribió esta obra para el Martes del Carnaval Parisino, donde se estrenó el 9 de marzo de 1886.

Saint-Saëns nunca fue partidario de que esta fantasía zoológica llegase a ser conocida por el público en general, pues para él era simplemente una broma musical; sin embargo *El carnaval de los animales* ha sido la obra que probablemente le ha hecho más popular en el mundo entero.

Academy of London

La Academy of London está considerada como una de las grandes orquestas del Reino Unido. De ella forman parte algunos de los mejores instrumentistas de Europa. La orquesta destaca porque combina con excelencia estas tres cualidades: virtuosismo, calidez y riqueza. Actualmente está dirigida por el vienés Richard Stamp.

La Academy of London dispone de un amplio y variado repertorio que va desde el barroco hasta nuestros días. Su reputación ha mejorado gracias a las grabaciones para EMI Virgin Classics y ASV, que han merecido la aclamación y el amplio beneplácito de la crítica mundial.

En su temporada en Londres, la orquesta ha sido un asiduo visitante del Centro Barbican, el Queen Elizabeth Hall y Smith de San Juan Square, tocando con una gran formación de solistas internacionales.

A finales de 1980 la Academy of London ya tenía prestigio fuera del Reino Unido gracias a sus numerosos conciertos en Alemania, Holanda, Francia y otros países europeos. En el otoño de 1994 fue la primera orquesta de cámara británica que actuó en la República Popular de China, invitada oficialmente por el gobierno de ese país.

JOSÉ ANTONIO ABAD

Nació en A Coruña. Es psicólogo y pedagogo.
Realizó sus estudios en Italia, Irlanda y la Universidad
de Sevilla. Especialista en psicología infantil.

Ha escrito varios cuentos para niños:
Timoteo, el amigo fiel, El temido lobo,
El oso fabuloso, Hércules y Crunia,
Giuliano, el niño del clarinete, El abuelo Saxo,
Con ojos de Cigüeña, Las cuatro estaciones, etc.

Durante más de diez años ha sido director
y psicólogo del Centro de Educación Infantil
Pino Montano de Sevilla. Más tarde desempeñó
el puesto de jefe del Departamento de Divulgación
de la Música en la Orquesta Sinfónica de Galicia
y ha llevado a cabo el Programa Educativo Municipal
«Descubrir la Música» del Ayuntamiento de A Coruña.
También fue organizador de los «Domingos con Música»
en el MACUF, y de conciertos didácticos
para familias en varias ciudades españolas.

Actualmente disfruta de su jubilación escribiendo
«cuentos con música» para niños y jóvenes.

JOÃO VAZ DE CARVALHO

João Vaz de Carvalho nació en Fundão (Portugal).
A principios de los años ochenta comenzó a trabajar
en diseño, pintura y cerámica en los talleres
del maestro Vasco Berardo, en Coimbra.

Actualmente vive en Lisboa y se dedica a la pintura e ilustración.
Ha expuesto su trabajo en numerosas galerías y participa
en diversos proyectos y muestras de arte contemporáneo.

Como ilustrador ha publicado en diferentes editoriales
de Portugal, España, Francia, Reino Unido y Brasil.

Entre los premios que ha recibido destacan:
1º Premio Ilustrarte 2005, Bienal Internacional de Ilustração
para a Infancia; The 45rd Golden Pen of Belgrade Award
2009, Serbia; 1º Premio de la Crítica del Calendario
Duemila 2011, Italia; 1º Premio World Press Cartoon 2011,
Portugal; Award of Excellence de la revista Communication
Arts 2012, USA.

Ilustró para Kalandraka *Pes de lá* y *28 historias para reír*.

Rúa Pastor Díaz, nº 1, 4ºA - 30001 Pontevedra
Tel.: 986 860 276
editora@kalandraka.com
www.kalandraka.com

Impreso en Gráficas Anduriña, Poio
Primera edición: junio, 2013
ISBN: 978-84-8464-822-2
DL: PO 202-2013